Amélie la Souris

Antoon Krings

GALLIMARD JEUNESSE / Gi BOULÉES

Sous le toit rapiécé du poulailler, entre vieilles pierres et bois moussus, vivait une souris qui s'appelait Amélie. Elle était si menue et si preste que personne jusqu'ici n'avait remarqué son petit manège. Dès le premier cocorico, la malicieuse attendait avec impatience que le perchoir se libère et que les poules se dispersent dans la cour pour descendre à son tour.

Gallimard Jeunesse / Giboulées sous la direction de Colline Faure-Poirée

© Editions Gallimard Jeunesse, 2001
Premier dépôt légal : juin 2001
Dépôt légal : novembre 2007
ISBN : 978-2-07-054313-7
Numéro d'édition : 151117
Loi n° 49956 du 16 juillet 1949
sur les publications destinées à la jeunesse
Imprimé et relié en France par Qualibris/Kapp

Elle fouillait alors le sol de ses petites mains frêles, ramassait çà et là quelques grains, un peu de pain… Puis, pressée de repartir, elle courait se glisser dans les nids, remplissait de duvet son tablier et, pfuit, au moindre bruit, ni vu ni connu, elle disparaissait sous la paille.

Parfois, plus téméraire, elle s'aventurait dans le jardin. Il y avait toujours une belle fleur à regarder, une bonne odeur à sentir. Comme en ce jour de printemps où la nature était d'humeur joyeuse. Le cœur léger et les poches pleines, Amélie rentrait chez elle sans s'imaginer un seul instant la surprise qui l'attendait.

Elle grimpa à l'échelle du poulailler et là, horreur, stupeur, découvrit avec effroi qu'une boue épaisse tapissait les murs de son petit logis et que ses précieuses petites affaires en étaient tout éclaboussées.

Elle essaya aussitôt de remettre un peu d'ordre quand soudain, dans un bruissement d'ailes, une ombre passa juste au-dessus de sa tête. Amélie poussa un cri de frayeur et dégringola l'échelle si rapidement qu'elle se jeta entre les pattes du coq. Mais ce dernier n'eut même pas le temps de s'en offusquer : en deux bonds et trois culbutes, la souris disparut dans le jardin. Toute retournée, elle ne cessait de marmonner : « Mon Dieu, mon Dieu, mon Dieu ! »

– Eh bien, qu'est-ce qui t'arrive? Tu n'es pas une bête à bon dieu! s'exclama Madeleine la musaraigne, qui l'épiait de sa fenêtre depuis un moment.

– Oh! C'est vraiment à en perdre la tête! s'écria Amélie. Quelqu'un s'est amusé à couvrir de boue les murs de ma maison. Et cet oiseau de malheur a filé si vite que…

À ces mots, Madeleine éclata de rire.

– Au contraire, c'est merveilleux! Le bonheur a frappé à ta porte, petite souris. Et il a décidé d'y faire son nid, un nid d'hirondelle! Surtout laisse-le entrer, ne le chasse pas de chez toi.

Très excitée, Amélie rentra en vitesse chez elle et fit ce que la musaraigne lui avait recommandé. Elle laissa la porte de sa maison grande ouverte et partagea son toit avec les hirondelles. Tout en rêvant à son propre bonheur, chaque jour elle frottait, balayait, dépoussiérait, pendant que les maçonnes, à tire-d'aile, à l'envi, sortaient, rentraient et finissaient leur ouvrage. «Si c'est ça le bonheur, il est bien envahissant», soupirait parfois la souris. Mais elle n'osait rien dire de peur de fâcher ses hôtes, dont le gazouillis secret annonçait déjà un heureux événement.

Hélas, la naissance des hirondeaux n'apporta que soucis et tracasseries. Les petits pépiaient si vivement à chaque béquée et les parents faisaient un tel remue-ménage qu'Amélie en eut vraiment assez et décida de quitter le poulailler. «La première chose à faire, se dit-elle un peu désemparée, c'est de chercher un abri pour la nuit.» Mais personne, pas même la musaraigne, ne semblait disposé à la loger. Les souris ne sont-elles pas des voleuses? «C'est bien ce que je pensais. Tout le monde se moque de moi», se dit Amélie en frappant à la porte de Mireille l'abeille.

Mireille, qui n'attendait pas de visite, butinait encore dans son rosier en bourdonnant fébrilement. «Il me reste à faire celle-ci et puis après celle-là… à moins que ce ne soit…» Ça se passait toujours comme ça quand il s'agissait de rentrer : l'abeille s'attardait et butinait jusqu'au dernier rayon du soleil.

Ce soir-là, il faisait déjà noir lorsqu'elle rentra chez elle. Elle allait se coucher quand soudain elle trouva une souris dans son lit!

Mireille poussa un cri strident: «Quelle horreur! Une souris! Une souris dans mon lit!»

Réveillée en sursaut, Amélie se mit alors à débiter tout ce qui lui passait par la tête :

— Le bonheur a frappé à ta porte et il a décidé d'y faire son nid… un nid de souris ! N'est-ce pas merveilleux, petite reine ?

— Euh… vraiment… mais c'est ma… gnifique ! dit l'abeille en toussant nerveusement pour cacher son trouble. Jamais je ne me serais attendue à être reine si tôt.

Mais, une fois remise de ses émotions, Mireille, qui préférait tout compte fait les nœuds jaunes aux couronnes dorées et le miel doré à la gelée royale, se coucha sur son tapis de mousse, et reprit dès l'aube son butinage au jardin, laissant à la souris porte-bonheur le soin de veiller sur sa petite maison.

Amélie, qui n'avait jamais mangé autant de miel, pas même en rêve, vécut ainsi chez l'abeille jusqu'au départ des hirondelles, heureuse comme une reine!